COMIC CHAOS

BY JONNY ZUCKER

ILLUSTRATED BY SEB CAMAGAJEVAC

First Flight

Badger Publishing Limited
Oldmedow Road,
Hardwick Industrial Estate,
King's Lynn PE30 4JJ
Telephone: 01553 816 083
www.badgerlearning.co.uk

2 4 6 8 10 9 7 5 3 1

Comic Chaos ISBN 978-1-78837-798-0

Editor: Claire Morgan
Translation: Yana Surkova
Design: Sarah Burfitt
Illustration: Seb Camagajevac
Cover design: Shaun Page
Typesetting: Adam Wilmott

Comic Chaos
Хаос в коміксі

Contents

Зміст

Common vocabulary

pen

pencil

paper

school

thirsty

home

desk

bed

door

work

park

slime

football

grass

story

Загальна лексика

ручка

олівець

папір

школа

спраглий

дім

стіл

ліжко

двері

робота

парк

слиз

футбол

трава

історія

Chapter 1
Monster Splash

Ned and Carol were in Ned's room.

There were pens, pencils and paper all over the floor.

Each week they made a comic called **Monster Splash**.

Ned did the words. Carol did the pictures.

Each week, the comic was about a new monster.

Everyone at school loved the comic.

This week's monster was called the Glob.

Ned had just finished the Glob stories.

Глава 1
Сплеск монстрів

Нед та Керол знаходились в кімнаті Неда.

По всій підлозі були розкидані ручки, олівці та папір.

Щотижня вони створювали комікс під назвою "**Сплеск монстрів**".

Нед відповідав за слова, а Керол - за малюнки.

Щотижня в коміксі розповідалося про нового монстра.

Усі в школі любили цей комікс.

Цього тижня монстра звали Глоб.

Нед щойно закінчив писати історії про Глоба.

"He's big, green and slimy," said Ned.

Carol liked the story.

She started work on the front cover.

But soon she was thirsty. "Let's go and have a drink. Then I will finish the front cover," she said.

As they left Ned's room they heard a growl behind them.

"What was that?" asked Carol.

Ned looked round his room. "It was nothing," he said.

He shut the door and they went downstairs.

"Він великий, зелений і слизький", - сказав Нед.

Керол сподобалася ця історія.

Вона почала працювати над обкладинкою.

Але невдовзі вона відчула спрагу. "Давай підемо і вип'ємо чогось. А потім я закінчу головну обкладинку", - сказала вона.

Виходячи з кімнати Неда, вони почули позаду себе гарчання.

"Що це було?" - запитала Керол.

Нед оглянув свою кімнату. "Нічого", - с казав він.

Він закрив двері, і вони спустилися вниз.

Chapter 2
The Glob

Over the next two hours, Carol worked on the front cover.

She made the Glob dark green, massive and scary.

His eyes seemed to be alive as they stared out at you from the cover.

"Shall I do the pictures for the inside pages?" she asked.

"No," said Ned. "It's late. Do them tomorrow."

Carol nodded and went home.

That night Ned looked at Carol's front cover.

Глава 2
Глоб

Протягом наступних двох годин Керол працювала над обкладинкою.

Вона зробила Глоба темно-зеленим, великим та страшним.

Його очі здавалися живими, коли дивилися на тебе з обкладинки.

"Може зробити малюнки для внутрішніх сторінок?" - запитала вона.

"Ні", - сказав Нед. "Вже пізно. Зробиш це завтра."

Керол кивнула і пішла додому.

Того вечора Нед подивився на обкладинку, яку зробила Керол.

As he stared at the Glob. For a second he thought he saw the monster bare his teeth.

"I must just be tired!" he said, rubbing his eyes.

He put the picture on his desk.

When he woke up the next morning there was a funny smell in his room.

He got out of bed and froze.

On the floor was a trail of green slime, leading to the door.

He ran to his desk and grabbed Carol's front cover.

The picture of the Glob had vanished.

Коли він дивився на Глоба, на секунду йому здалося, що він побачив, як чудовисько оголило зуби.

"Я, мабуть, просто втомився!" - сказав він, протираючи очі.

Нед поклав малюнок на свій стіл.

Наступного ранку, коли він прокинувся, в його кімнаті стояв дивний запах.

Нед встав з ліжка і завмер.

На підлозі був слід зеленого слизу, що вів до дверей.

Він підбіг до свого столу і схопив обкладинку, яку зробила Керол.

Зображення Глоба зникло.

Chapter 3
Slime

Ned ran out of his room. The trail of slime went down the stairs.

Luckily, Ned's parents had left for work ages ago, so they hadn't seen the trail.

Ned's house backed onto the park.

The trail of green slime led into the park.

He phoned Carol. "Get over here now!" he said.

Carol ran to Ned's house. "What's going on?" she asked.

"It's the Glob!" said Ned. "He escaped from your front cover!"

At first Carol did not believe him. But he showed her the blank cover and the trail of slime.

Глава 3
Слиз

Нед вибіг зі своєї кімнати. Слід слизу тягнувся вниз по сходах.

На щастя, батьки Неда давно пішли на роботу, тому вони не бачили цих слідів.

Будинок Неда виходив в парк.

Слід зеленого слизу вів у парк.

Нед подзвонив Керол. "Негайно іди сюди!"- сказав він.

Керол прибігла до будинку Неда. "Що сталося?"- запитала вона.

"Це Глоб!"- сказав Нед. "Він втік з твоєї обкладинки!"

Спочатку Керол йому не повірила. Але він показав їй порожню обкладинку і слід слизу.

"We must follow him!" cried Carol.

They ran after the slime trail into the park.

There were loud roars coming from the tennis courts.

By the time Ned and Carol got to the tennis courts, the Glob was gone, but he had left great piles of stinking slime everywhere.

They heard a roar from the football field.

When they got there, there were piles of the smelly slime all over the grass, the goalposts, and the corner flags.

"WHERE IS HE?" shouted Carol.

At that second, Ned and Carol were both lifted into the air by two slimy, green hands.

"Ми повинні знайти його!" - вигукнула Керол.

Вони побігли за слідом слизу в парк.

З тенісних кортів доносився гучний рев.

Коли Нед і Керол дісталися тенісних кортів, Глоба вже не було, але він залишив всюди величезні купи смердючого слизу.

Вони почули рев з футбольного поля.

Коли вони дісталися туди, на траві, стійках воріт і кутових прапорцях були купи смердючого слизу.

"ДЕ ВІН?"- крикнула Керол.

У ту ж секунду дві слизькі зелені руки підняли Неда і Керол в повітря.

Chapter 4
Run!

They turned round and came face-to-face with the Glob.

"I'm hungry!" shouted the Glob.

He opened his huge, green mouth.

"You can't eat US!" screamed Carol.

"We MADE you!" said Ned.

But the Glob just opened his mouth wider.

Глава 4
Слиз

Вони обернулися та зіткнулися віч-на-віч з Глобом.

"Я голодний!"- крикнув Глоб.

Він відкрив свій величезний зелений рот.

"Ти не можеш їсти НАС!"- закричала Керол.

"Ми тебе СТВОРИЛИ!"- сказав Нед.

Але Глоб тільки ширше роззявив рота.

At that moment, Ned remembered he had a can of fizzy drink in his jacket pocket.

He shook it up, opened it and sprayed the frothing drink in the Glob's eyes.

The Glob screamed and let go of Ned and Carol.

"RUN!!!" yelled Ned.

The Glob rubbed his eyes and roared with anger.

Ned and Carol ran through the park.

But they stopped when someone stood in their way.

Раптом Нед згадав, що у нього в кишені куртки є банка газованого напою.

Він струснув банку, відкрив і бризнув пінистим напоєм Глобу в очі.

Глоб закричав і відпустив Неда і Керол.

"БІЖИ!!!"- закричав Нед.

Глоб протер очі та заревів від гніву.

Нед і Керол побігли парком.

Але вони зупинилися, коли хтось став у них на шляху.

It was the park keeper. "Do you two have any idea who put that stinky green slime everywhere?"

"It was probably some younger kids," said Ned.

"Young kids can really act like little monsters!" said Carol.

"Well, I have to go to town to buy some very strong cleaning things," replied the park keeper.

Back at Ned's house, Ned gave Carol blank paper and some pens.

"You need to do a new cover!" he said.
"And quick!"

Це був доглядач парку. "Ви двоє не знаєте, звідки взявся цей смердючий зелений слиз?"

"Ймовірно, це зробили малі діти", - сказав Нед.

"Вони справді можуть поводитися як маленькі монстри!"- сказала Керол.

"Ну, тоді мені потрібно з'їздити в місто, щоб купити дуже сильні миючі засоби", - відповів доглядач парку.

Повернувшись додому, Нед дав Керол чистий папір і кілька ручок.

"Ти повинна зробити нову обкладинку!"- сказав він. "І швидко!"

Chapter 5
Crusher

Ten minutes later, Ned and Carol were back in the park.

They saw the Glob chucking slime all over the sandpit.

Ned held up the new front cover.

It showed a blue monster, far bigger and stronger than the Glob.

He was called the Crusher.

Ned waved the cover in the air.

Глава 5
Нищівник

Через десять хвилин Нед і Керол повернулися в парк.

Вони побачили, як Глоб розбризкує слиз по всій пісочниці.

Нед підняв нову обкладинку.

На ній було зображено синє чудовисько, набагато більше і сильніше Глоба.

Його назвали Нищівником.

Нед махнув обкладинкою в повітрі.

There was a puff of smoke and the Crusher jumped out of the picture.

Ned whispered something into the Crusher's ear.

The Crusher ran to the Glob and picked him up.

The Crusher then ran round the park, using the Glob's head as a broom to sweep up all of the slime.

Five minutes later, every drop of slime was gone.

Піднявся стовп диму, і Нищівник вистрибнув з малюнка.

Нед щось прошепотів на вухо Нищівнику.

Нищівник підбіг до Глоба і підняв його.

Потім Нищівник побіг парком, підмітаючи головою Глоба весь слиз.

Через п'ять хвилин весь слиз зник.

Ned held up the cover again.

The Crusher and the Glob flew back into the cover —
the Crusher still holding the Glob under his arm.

At that second, the park keeper came back with his
new cleaning things.

"Where is all of the slime?" he asked.

"One of those little monsters must have cleaned it up!"
replied Carol.

Нед знову підняв обкладинку.

Нищівник і Глоб знов опинилися на обкладинці –
Нищівник все ще тримав Глоба під пахвою.

У цю ж секунду повернувся доглядач парку з
новими миючими засобами.

"А куди подівся весь слиз?" - запитав він.

"Мабуть, один з тих маленьких монстрів прибрав
його!"- відповіла Керол.

"You will have to write a new story now," said Carol, as they walked back to Ned's.

"Why?" asked Ned.

"A new cover needs a new story!" she said.

They looked at the new cover and for a second it looked as if the Crusher winked at them.

"Тепер тобі доведеться написати нову історію", - сказала Керол, коли вони поверталися до Неда.

"Чому?" - запитав Нед.

"Для нової обкладинки потрібна нова історія!" - відповіла вона.

Вони подивилися на нову обкладинку, і на секунду їм здалося, що Нищівник підморгнув їм.